C000046391

QUESTO LIBRO RACCONTA DI UNA CLASSE DAVVERO SPECIALE.
DISEGNA IL TUO COMPAGNO DI CLASSE CHE PIÙ ASSOMIGLIA
AL PROTAGONISTA DI QUESTA STORIA.

Per l'edizione italiana © 2018 Edizioni Lapis
Per i diritti internazionali © Book on a Tree
A story by Book on a Tree - www.bookonatree.com
Tutti i diritti riservati
Edizioni Lapis
Via Francesco Ferrara, 50 - 00191 Roma
www.edizionilapis.it
ISBN: 978-88-7874-601-5
Finito di stampare nel mese di febbraio 2018
presso Tipografia Arti Grafiche La Moderna - Roma

Linda Altomonte

PATTY PADELLA

E IL CONCORSO DI CUCINA

illustrazioni di Laura Re

Lapis
e d i z i o n i

Una notizia inaspettata

Sembrava una mattina come le altre, a Picco Pernacchia.

La scuola elementare Rodari, che era vecchia, vecchissima, antidiluviana!, perdeva calcinacci e tegole a ogni soffio di vento, il bidello Ranuzzi minacciava con lo spazzolone gli ultimi ritardatari, e il platano Egidio, lì accanto, dondolava placido i suoi rami frondosi.

Sì, sembrava proprio una mattina come le

altre. E invece qualcosa stava succedendo, fra le vecchie mura della scuola.

Il preside Mariotti bussò alla porta della Seconda B ed entrò a passo di carica, senza nemmeno aspettare che la maestra Torchio dicesse "avanti". Poi esclamò, in tono pomposo:

– La settimana prossima, la nostra scuola ospiterà un'edizione speciale di *Monster Chef*, il concorso culinario più famoso della TV.

– URRÀ! – tuonarono i bambini, con un boato che fece tremare l'edificio (e cadere un'altra tegola dal tetto). Poi iniziarono a bombardarlo di domande.

– Parteciperà tutta la scuola?
– No, soltanto voi e la Seconda A.
– Ma cosa dobbiamo fare?

– Ci saranno tre sfide: una lunedì, l'altra martedì e l'ultima mercoledì.

– Ma dove si farà?

Il preside sbuffò. – Dove vuoi che si faccia, testa di rapa?! Qui a scuola, nelle vecchie cucine!

– Le vecchie cucine?! – strillò Cecilia Candeggina. – Ma sono un covo di microbi!

– Cosa si vince? – saltò su Vera Voglio.

– Ci saranno anche i nostri genitori? – fece Ronnie Rondella.

– Può partecipare il mio topolino? – chiese Nino Niagara, infilando la mano in tasca per tirare fuori il suo animaletto da compagnia. Trovandola vuota, scoppiò in un pianto disperato.

– BASTA! – urlò Mariotti, con la zucca pelata rossa di rabbia. – Siete insopportabili. Non ne posso più! – e uscì sbattendo la porta.

SLAM!

Seguì un secondo di silenzio, poi i bambini ricominciarono a commentare la notizia. Una sfida in diretta TV! Nella loro scuola!

– Che disastro! – gemeva Cecilia Candeggina. – Come minimo ci beccheremo tutti la mononucleosi!

– Che cos'è la monocaccolosi? – chiese Ronnie Rondella.

– Si dice "conocaccolosi" – precisò Akiko Assò, che aveva sempre una spiegazione per tutto. – Ti viene quando mangi un gelato di caccole.

– BLEAH! Non voglio un gelato di caccole! – singhiozzò Nino Niagara.

– Si chiama mo-no-nu-cle-o-si! – puntualizzò Cecilia. – È una malattia che si trasmette con le stoviglie che non sono state lavate bene – e poi aggiunse, afferrando il suo gel lavamani: – Mamma mia, chissà quanti germi ci sono nella vecchia mensa!

– Adesso BASTA! – strillò la maestra Torchio. – L'igiene della mensa non è affar vostro! Se fossi in voi sarei molto più spaventata dai giudici di *Monster Chef*.

– *Tzé* – fece Gianni Ginocchio. – Che sarà mai? Tre mummie che assaggiano un piatto e danno un punteggio…

A quel punto intervenne Patty Padella: – La maestra ha ragione – disse, da vera

esperta. – I giudici sono dei mostri di bravura, ma sono anche *moooooolto* severi.

– Ma noi saremo bravissimi! – obiettò Akiko.

– Sì – fece Bianca Battaglia – vinceremo di sicuro.

Patty scrollò la testa. – Voi non capite, quei tre sono gli chef più perfidi del mondo! Ma lo guardate, il programma, o no?

Metà della classe scosse la testa.

– Allora ve lo spiego io – disse Patty, che non si era mai persa una puntata. – *Monster Chef* è una gara per diventare grandi chef. Le sfide sono difficilissime, perché ogni giudice stabilisce regole complicate. Questo però è niente, in confronto a quello che succede dopo… È il giudizio degli chef che terrorizza tutti. Anche i cuochi più bravi!

– Perché? – chiese Lorenzo.

– Perché se il piatto non gli piace, ti fanno fare una figuraccia tremenda – Patty si avvicinò a Lorenzo. – Ghigno Grattugia, ad esempio. Ha sempre un sorrisetto maligno sul volto, e quando assaggia i piatti le sue labbra si piegano all'insù e le sue narici cominciano a fremere... perché lui ADORA eliminare i concorrenti!

Lorenzo, che di figuracce non ne aveva mai fatte in vita sua, deglutì rumorosamente.

– Poi c'è Janfe Cotequiño – continuò Patty. – Lui è famoso per aver schiaffeggiato il cuoco personale della Regina d'Inghilterra solo perché aveva aggiunto un pizzico di cacao in più!

– Che esagerato! – commentò Bianca.

Patty spiegò: – È il più pignolo dei tre: con

una sola occhiata nota ogni imperfezione! I suoi occhi si trasformano in due fessure… e la sua sentenza è TERRIBILE!

Bianca tossicchiò.

– Infine – disse Patty, girandosi verso Akiko – Zita Arcistrudel. Anni fa, dopo aver assaggiato la sua celeberrima Torta

Arcistrudel, otto capi di Stato si misero a litigare per chi avesse diritto all'ultima fetta… e si sfiorò una guerra mondiale!

Akiko spalancò la bocca.

– Ma la cosa peggiore – continuò Patty – è che, durante le sfide di *Monster Chef*, la Arcistrudel compare all'improvviso dietro i concorrenti e pone domandine innocue…

che in realtà sono pericolosissimi TRANELLI!

I ragazzi della Seconda B si guardarono. E fu in quel momento che nelle loro menti esagitate prese forma un'idea ben chiara: partecipare a una puntata di *Monster Chef* non sarebbe stato affatto una passeggiata.

Tutti si misero allora a parlare uno sopra l'altro, a proporre soluzioni, a lanciare idee (e qualche aeroplanino di carta), e la maestra Torchio, per calmarli, dovette imporre una bella esercitazione a sorpresa.

Sulle sottrazioni.

A sette cifre.

La Seconda B smise di colpo di frizzare come un bicchiere di gazzosa sgasata. I bambini aprirono i quaderni e cominciarono a scrivere i numeri che la maestra dettava, con la voce stridula per l'arrabbiatura.

Tutti s'immersero in quella giungla di calcoli, e per una buona mezz'ora dimenticarono *Monster Chef*.

Tutti tranne Patty Padella.

Un talento eccezionale

"*Monster Chef…*" continuava a ripetersi Patty, come ipnotizzata. "*Monster Chef…* MONSTER CHEF!".

Il suo programma preferito.

Non ci poteva credere.

Altro che topi, sottrazioni e mononucleosi: qui si trattava di cu-ci-na-re. Cioè quello che Patty sapeva fare meglio. In assoluto.

Perché Patty non era come i suoi compagni, che si limitavano a sedersi a tavola dopo essersi lavati le mani (beh, Cecilia Candeggina si risciacquava anche con l'acqua ossigenata).

Patrizia Priscilla Pandora Padella, "Patty" per gli amici, i pasti se li inventava, se li cucinava e se li impiattava da sola. Campionessa Mondiale di Spadellata, non c'era ingrediente che non sapesse trasformare in un piatto succulento. Squisito. Da leccarsi i baffi. La sua crema pasticcera era cremosa e omogenea, il pane soffice soffice, il passato di verdure semplicemente squisito.

Ma Patty non era solo brava. Era STREPITOSA.

Tagliare le mele a spicchi, affondare le mani nell'impasto per la pizza... perfino pelare le patate la riempiva di gioia! La cosa che le piaceva di più in assoluto, però, era sbattere le uova. Il perché non avrebbe saputo dirlo nemmeno lei. Forse era il giallo-arancione dei tuorli che le metteva allegria. O il ticchettare ritmato della frusta nella ciotola. O più probabilmente il fatto che l'uovo poteva diventare mille altre cose: una frittata profumata, uno zabaione, una torta di mele…

Sì. Per Patty, cucinare era una magia.

Una magia per maghi esperti, però. E solo maghi esperti avrebbero potuto affrontare i tre giudici di *Monster Chef*. Bisognava stare attentissimi: bastava sbagliare le proporzioni e la magia si tramutava in un disastro.

Ora, davanti al foglio bianco come una meringa, tutto quello a cui la sua allenatissima attenzione si stava dedicando era il concorso culinario. Piatti elaborati e

gustosissimi cominciarono a balenarle in testa e i suoi riccioli scuri, raccolti in una coda alta e stretta, per lo sforzo di pensare si arricciarono ancora di più.

C'era solo un problema: alla gara non avrebbe partecipato una sola persona, ma tutta la classe! E nessuno dei suoi compagni aveva la più pallida idea di come preparare una banalissima pastina.

"Devo assolutamente prendere in mano la situazione" si disse "e in fretta". Era chiaro che avrebbero avuto bisogno di un caposquadra, e quel caposquadra sarebbe stata lei.

Un'eco lontana richiamò la sua attenzione.

"Patty!"

"PATTY!"

Oh santa parmigiana, era la maestra Torchio!

– Padella, vuoi gentilmente consegnare la tua esercitazione? – le stava dicendo.

Patty si alzò dal banco, andò alla cattedra e porse il foglio bianco. La maestra strabuzzò gli occhi.

– PATTY! – esclamò. – Dove sono le sottrazioni?

– Nel frullatore.

– Prego?

– Sa, i giudici potrebbero gradire una salsina alla menta – continuò Patty. – Con qualche *nachos*...

Il sopracciglio della maestra Torchio vibrò così tanto che sembrò prendere il volo come un albatros.

– Patrizia Priscilla Pandora Padella – sillabò – puoi ringraziare la Grande Ciambella che il bidello Ranuzzi non mi ha ancora preparato il quarto caffè, altrimenti ti avrei già rispedita al posto con una nota.

– Maestra, ma si rende conto? *Monster Chef*! Qui a scuola! Io ho già tutto il menù in testa!

– Ma quale menù?! Prima ci saranno le elezioni per il caposquadra!

– Eh? – fece Patty.

– Già, mentre tu pensavi al tuo menù, qualcuno si è già proposto per guidare la squadra. Quindi si farà una votazione.

– E chi sarebbero gli altri candidati? – chiese Patty, con voce tremante.

– Sono dietro di te.

Lotta all'ultimo voto

Patty si girò. Dietro di lei, Gianni Ginocchio e Tamara Tombé avevano già cominciato a fare il loro comizio elettorale, approfittando dell'inizio dell'intervallo.

– Votatemi! – gridava Gianni, minaccioso. – Altrimenti vi farò assaggiare i miei panettoncini di terra!

– Oh no! – gemette Furio. – Io voto per Gianni!

– Votate per me! – cinguettava Tamara.

– Cucinare è un'arte e io sono un'artista!

– In che senso? – chiese Lorenzo Lodato.

– Beh – rispose Tamara, eseguendo un perfetto *arabesque* – nel senso che sono una grande ballerina!

– Ha ragione – intervenne Akiko Assò – quando vado a mangiare dagli zii e la sera prima sono stati a vedere un balletto, le insalatone-croccantone di mio zio sono fantastiche!

– Oh, basta sciocchezze! – sbottò Patty. – Qui l'unica che sa qualcosa di cucina sono io! Nessuno di voi sa nemmeno come si accende un fornello!

– Beh, tu dici di essere l'unica in grado di cucinare – intervenne Tamara – ma chi ci dice che sia davvero così?

– Cosa vuoi dire? – chiese Bianca.

– Io posso dimostrarvi in ogni momento

le mie capacità... così! – e si esibì in un *pas de bourrée*.

Patty ribatté: – La prova della mia bravura in cucina ce l'ho addosso, è solo che voi non la vedete!

– E dove sarebbe questa prova? – chiese Furio Furetti.

Patty salì su una sedia, con una mano afferrò un lembo della sua maglietta e con l'altra indicò una macchiolina arancione. – QUESTA è la prova di quello che dico! – gridò trionfante.

– Quella è la prova che sei solo un impiastro! – sogghignò Tamara.

Patty la ignorò. – È la macchia di pomodoro che mi sono procurata la prima volta che ho cucinato le lasagne. Avevo quattro anni!

– Capirai… – borbottò Tamara.

– E questa – continuò Patty, indicando uno sbafo marroncino sulla spalla destra – è la prova di quando ho preparato la mia famosa torta di bignè al cioccolato. E questa – proseguì indicando una gigantesca patacca rossastra – è del mio risotto alle fragole. Non ne resta mai neanche un chicco!

– E quello cos'è? – chiese Lorenzo,

notando un alone giallastro sul fianco sinistro di Patty.

– È il burro chiarificato alla curcuma che ho preparato un mese fa. Ne ho fatti dieci panetti.

– Ne voglio uno! – esclamò Vera Voglio, anche se non sapeva cosa fosse il burro chiarificato. – Ho deciso che voterò per te!

– Anch'io voto per Patty! – intervenne Ronnie, premendo il pulsante OK disegnato sul suo camiciotto a righe. – BZZZT!

Patty, soddisfatta, puntò i pugni sui fianchi.

In quel momento, un raggio di sole uscì da una nuvola, cercò la finestra della Seconda B e andò a incorniciare i riccioli scuri della bambina. E con tutte quelle macchie che sembravano mille medaglie, Patty Padella aveva l'aria di un grande generale, pronto per una nuova battaglia.

Quando la maestra Torchio rientrò in classe, trovò la Seconda B schierata ai banchi.

– Siamo pronti per le votazioni – squittì Tamara, serissima, in piedi accanto ai suoi rivali.

I tre candidati si girarono verso la classe,

per un ultimo, silenzioso appello: Patty indicò nuovamente ognuna delle "medaglie" che spiccavano sulla sua maglietta, Tamara si esibì in una splendida "morte del cigno" e Gianni si limitò a far scrocchiare rumorosamente le dita.

Al banco, qualcuno scrisse un nome senza esitazione, qualcun altro restò per un po' con la matita in bocca a guardare il soffitto, altri ancora erano proprio indecisi e stavano con la testa fra le mani, sbirciando il foglio del vicino e i pugni di Gianni Ginocchio.

Uno per uno, i bambini della Seconda B votarono il loro candidato.

Poi, un silenzio di tomba calò nell'aula. Nessuno si mosse, mentre la maestra apriva la scatola dove i bambini avevano infilato i foglietti spiegazzati.

– Procediamo allo spoglio – annunciò, in tono serio.

Aprì il primo foglio e lesse a voce alta:
– Gianni Ginocchio!

Alla lavagna, Lorenzo tracciò una crocetta precisissima accanto al nome di Gianni.

– Tamara Tombé!... Patty Padella! – continuò la maestra.

Crocetta dopo crocetta, Lorenzo segnò tutti i voti.

Poco dopo, i biglietti erano finiti. Sulla lavagna c'erano tre crocette per ogni candidato.

– I candidati sono... – cominciò ad annunciare Lorenzo.

– IN PARITÀ! – concluse Bianca, velocissima.

– No, aspettate – disse la Torchio. – C'è ancora un biglietto. È così piccolo che non l'avevo visto.

La maestra aprì il foglietto. – L'ultimo voto è…

Patty, Tamara e Gianni s'irrigidirono.

– … ILLEGIBILE!

– Cooosa??? – esclamarono i bambini all'unisono.

– Proprio così – spiegò la maestra – qualcuno ha scritto il suo voto con un tratto talmente leggero che è impossibile leggerlo.

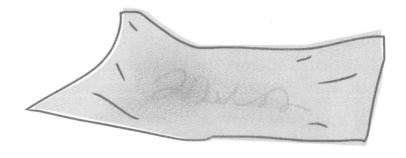

– L'ho scritto io! È il mio foglietto! – disse Mino Minimo. Ma lo disse a voce così bassa che, come al solito, nessuno lo sentì.

In classe il baccano aumentò, così come la velocità con cui vibrava il sopracciglio della maestra e il ritmo vorticoso dei pensieri di Patty: lei, Campionessa Mondiale di Spadellata, a pari merito con il bullo della classe e una che… indossava il tutù sopra i jeans?!

"Santa parmigiana" pensò "qui ci vorrebbe un miracolo!".

In quel momento, uno scoppio fece tremare i muri della scuola.

La maestra Torchio e la Seconda B si riversarono in corridoio e si affacciarono nella guardiola del bidello Ranuzzi, da cui proveniva l'esplosione.

Davanti a loro, uno spettacolo

raccapricciante: Ranuzzi era aggrappato all'anta della finestra aperta a gambe penzoloni, con gli zoccoli che gli scivolavano dai piedi. Tutt'attorno, il muro era pieno di schizzi scuri e una macchia più grossa colava dal soffitto... proprio sopra al fornello elettrico dove il bidello preparava il caffè.

– Ranuzzi! – esclamò la maestra, incredula. – Ma cos'è successo?

– L-la caf-fettiera! – balbettò lui. – È esplosa... n-non so perché! Ora c'è caffè dappertutto!

– Per tutte le zollette! Si è fatto male? – si preoccupò la Torchio.

– N-no... non credo...

In quel momento, un bambino di prima passò per andare in bagno e Gianni, vedendolo, si ricordò che il giorno prima, all'intervallo, non aveva finito di picchiarlo.

– Ehi, tu! Con te non avevo mica finito! – e si precipitò verso il primino, che filò via terrorizzato.

– Ginocchio! – strillò la Torchio. – Fermati!

E si lanciò a sua volta all'inseguimento.

In un attimo, fu il caos più totale: Tamara fece resuscitare il cigno e svolazzò per tutto il corridoio; Ronnie schiacciò il pulsante del solletico e avanzò ridacchiando verso i piedoni del bidello; Cecilia corse nello sgabuzzino a prendere guanti e disinfettante e si mise a strofinare il muro della guardiola sporco di caffè.

– Ma insomma – gridò Patty esasperata – non vi interessa più il concorso?

Qualcuno le tirò la maglietta: era Furio Furetti. In mano aveva il bigliettino illeggibile. – Ho risolto un problema! – disse trionfante.

– Ah sì? – fece Patty, poco convinta.

– Guarda: con la mia nuova invenzione sarà possibile decifrare l'ultimo biglietto – e mostrò alla compagna un oggetto familiare.

– Ma è una lente!

– Non è una lente qualsiasi. Leggi qui – ribatté lui, indicando un'etichetta che aveva appiccicato al manico con un pezzo di scotch.

L'etichetta diceva: "Lente elettorale".

– Si usa *solo ed esclusivamente* in caso di

elezioni – spiegò Furio. – Se capita un voto illeggibile, la mia invenzione può aiutare a stabilire il vero vincitore.

Patty prese la lente e si chinò sul foglietto. Scritto piccolo piccolo, leggero leggero, c'era proprio il suo nome.

Patty Padella

La caposquadra era lei.

La perfida prima sfida

Il giorno della prima prova, Patty era agitatissima. Col cuore che batteva più di un frullatore, si addentrò nell'atrio della scuola, che traboccava di bambini e genitori in attesa dell'apertura ufficiale del concorso.

– In bocca al lupo, fragolina! – disse Paolo Padella alla figlia, strizzandole l'occhio. Patty rispose al babbo con un sorriso nervoso e raggiunse i compagni.

– Silenzio! – stava urlando Mario

Mariotti. – Silenzio! Diamo il benvenuto a Ghigno Grattugia, Janfe Cotequiño e Zita Arcistrudel!

I bambini si girarono verso la porta: in carne, ossa e crudeltà, ecco avanzare i tre giudici.

Patty notò che lo chef Grattugia, dal vivo, era basso, grassottello e con le braccia pelosissime. Lo chef Cotequiño, invece, era alto e magro, con la bocca serrata in una smorfia di disappunto. Infine, Zita Arcistrudel. Capelli neri stretti in uno chignon, un gran naso affilato come un coltello e occhi verdissimi che sembravano quelli di un gatto siberiano.

Poi si accesero mille luci, e Patty si rese conto che la mensa era piena zeppa di telecamere.

– Benvenuti a questa nuova edizione di

Monster Chef! – esclamò la Arcistrudel, allargando le braccia con gesto plateale. – La Seconda A e la Seconda B della scuola elementare Rodari gareggeranno per conquistare il "Sedano d'Oro", il nostro magnifico trofeo… più un premio che andrà al caposquadra, che sveleremo solo alla fine.

Patty sobbalzò. "Per tutti i cavoli cappucci! Un premio per il caposquadra!".

– Le sfide saranno tre – intervenne Janfe Cotequiño. – Per ogni prova il caposquadra dovrà scegliere tre dei suoi compagni di classe come aiutanti.

– Sarò io a giudicare il risultato della prima prova, eh eh eh… – ridacchiò Ghigno Grattugia, strofinandosi le manone. – Ogni squadra dovrà cucinare un piatto a piacere, servendosi degli ingredienti che vi metteremo a disposizione.

– Tutto qui?! – si lasciò sfuggire Patty. – Facilissimo!

Ma si sbagliava di grosso.

Patty camminava avanti e indietro, la coda più tirata del solito: fra i suoi compagni, non sapeva proprio chi scegliere.

Si fermò davanti a Nino. – A te andrebbe? – gli chiese, poco convinta.

– Certo! Cosa cuciniamo?

– Anch'io voglio far parte della squadra! – saltò su Vera Voglio.

– Ma sei sicura che… – obiettò Patty.

– ANCH'IO, ANCH'IO, ANCH'IIIOOO! – ripeté Vera. E sarebbe andata avanti tutta la mattina, se Patty non avesse fatto "sì" con la testa.

Poi Patty andò da Cecilia. "È un po' fissata con la pulizia" pensò "ma mi ha detto

che una volta è riuscita a grattugiare una
carota…"

– Mi darai una mano? – le chiese.

Cecilia ci pensò un attimo. – Va bene, così
potrò controllare l'igiene delle stoviglie.

– Bene – disse Patty. – Per questa prova
cucineremo uno dei miei cavalli di battaglia:
risotto al topinambur con profumo di
limone.

– Topi?! – fece Nino. – Non vorrai
mica… – e gli vennero subito i lucciconi.

Patty alzò gli occhi al cielo. – No, Nino,
i topinambur non sono topi. Sono tuberi.
Crescono sottoterra.

– Sottoterra?! – esclamò Cecilia. – Ma
non lo sai che nella terra ci sono i bacilli del
tetano?!

– Li faccio io, LI FACCIO IO i *topi in
hamburger*! – fece Vera.

– Si chiamano "topinamb…" oh, lasciamo stare – si spazientì Patty. – Vera preparerà i topinambur, Cecilia il brodo e Nino grattugerà la scorza di limone. Al lavoro!

Poco dopo, Patty aveva già preparato la decorazione per il risotto: aveva tagliato a riccioli la buccia di un limone e lavato dei fiori di zucca, che accanto ai riccioli gialli avrebbero fatto un figurone.

Proprio mentre Vera, finito di tagliare i topinambur, stava per versarli in padella, Cecilia lanciò un urlo.

– Che c'è? – chiese Patty.

– Ho visto un puntino scuro!

– Io non vedo niente! – disse Vera, controllando i topinambur.

– È proprio lì! Che orrore! – insistette

Cecilia. E pretese di controllare ogni pezzettino.

Patty scrollò la testa, si girò verso Nino… e rimase a bocca aperta: il limone era grattugiato solo a metà e Nino era accasciato sul tavolo con la testa sulle braccia. Stava singhiozzando. Di nuovo.

– E tu che cos'hai, ora?

Nino alzò il capo e, fra un singhiozzo e l'altro, spiegò: – Ho cominciato a grattugiare il limone, come mi avevi detto… ma poi l'ho

guardato… ho guardato gli altri limoni… e ho pensato che lui sarebbe stato molto meno bello di loro solo per il nostro risotto… e allora… allora… BUUUAAAAAH!

Non fu facile calmare Nino: Patty dovette convincerlo che il limone sarebbe stato orgoglioso di dare la propria buccia per la loro vittoria. Allora Nino smise di piangere, e Patty poté girarsi verso la padella dei

topinambur. Ma stavolta fu lei a urlare.

– Vera! – strillò. – Qui ci sono pochissimi topinambur! Dove sono gli altri?

– Cecilia li ha buttati – spiegò Vera, serafica.

– BUTTATI? Ma perché?!

Cecilia puntò i pugni sui fianchi. – Non c'era neanche uno di quei tuberi che fosse immacolato! Non permetterò che si sparga il tetano nella scuola!

– Ma i topinambur non hanno il tetano! Sono stati tutti lavati e rilavati!

– Con l'acqua?

– Sì, ovvio!

Cecilia scrollò la testa. – Ci vuole almeno qualche goccia di brillantante.

– Ma questo è cibo, non argenteria! Piuttosto, dov'è il brodo?

– Beh, ho dovuto rilavare il pentolino e il

cucchiaio che mi hai dato: erano *lerci* – fece Cecilia. – Il brodo lo devo ancora preparare.

Patty si avventò sul pentolino per il brodo; strappò di mano limone e grattugia a Nino (che si rimise a piangere) e in un lampo gettò il riso nel tegame in cui l'olio sfrigolava già, aggiunse i topinambur e cominciò a girare. Girò e girò il risotto, e quando fu pronto, scelse un piatto con il bordo violetto, impiattò e in mezzo sistemò i riccioli

che aveva fatto con le bucce di limone.

Mancava solo l'ultimo tocco.

– Dove sono i fiori di zucca? – chiese ai suoi compagni.

– Ehm… – fece Vera – li ho presi io: erano così belli…

E un po' imbarazzata, tolse dal cerchietto

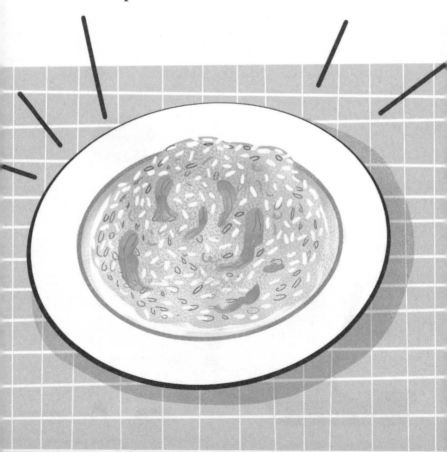

i fiori di zucca e li passò a Patty, che aveva gli occhi più fiammeggianti del fornello. La caposquadra li sistemò sul piatto accanto ai riccioli gialli.

Appena in tempo.

Il suono di un gong li fece sobbalzare.

L'atroce seconda sfida

Ghigno Grattugia brandì la forchetta come una spada e si avvicinò al piatto della Seconda A: delle crespelle dall'aria invitante. Ma lo chef, appena l'ebbe assaggiato, ridacchiò malignamente.

– Troppo secche! – sibilò. – Sembrano suole da scarpe! Del resto vi ho osservati mentre cucinavate: eravate così goffi… sembravate dei pinguini!

Il caposquadra della Seconda A, un

bambino castano con il ciuffo sul davanti, spalancò gli occhi. Fra il pubblico si sentì qualche mormorio.

Con la forchetta ancora sporca di sugo, lo chef Grattugia passò al risotto di Patty. – Gran bella presentazione davvero! – commentò con una smorfia. – I fiori di zucca sembrano marci…

Grattugia assaggiò e poi disse, sempre sogghignando: – Questo risotto è insulso! Come voi! In particolare questi tre imbranati: una viziatella pel di carota, un piagnucolone e una piccola pazza ossessionata dai microbi… Tre perdenti!

– Cos'ha detto? – bisbigliò qualcuno del pubblico.

– Ha detto che sono tre perdenti – gli rispose qualcun altro.

Patty si girò verso i suoi compagni di

squadra. Vera aveva la bocca spalancata. Nino guardava fisso davanti a sé e nemmeno piangeva. E Cecilia sembrava aver smesso di respirare.

Nel gelo che seguì, Grattugia tornò al proprio posto e disse ad alta voce: – La Seconda A ottiene tre punti. La Seconda B, invece... – e qui gli comparvero i canini – ... solo uno!

Una telecamera inquadrò i due capisquadra: il bambino con il ciuffo accennò un sorriso sghembo, Patty aveva le braccia lungo i fianchi e i pugni chiusi.

Nella mensa nessuno fiatò.

Quella sera, Patty era così abbattuta che per cena aveva preparato solo un pinzimonio. Nemmeno i colori allegri delle verdure erano riusciti a farle tornare il buonumore.

A tavola, papà Padella tuffò un ravanello nell'olio d'oliva e disse: – Allora, ciliegina, che ne dici della prova di oggi?

Patty alzò le spalle e non rispose. Il babbo rimase col ravanello a mezz'aria. – Beh? Non dici niente?

– Non vuoi raccontarci niente? – chiese Artemisia alla figlia.

Patty abbassò lo sguardo. – Abbiamo preso un punto da Ghigno Grattugia.

– Davvero?! – fece la mamma. – Ma è splendido!

– Già – commentò Patty – peccato che la Seconda A ne abbia presi tre.

– Beh, non è andata così male... – cercò di consolarla Artemisia.

Patty fece spallucce.

Il papà sorrise e appoggiò il ravanello nel piatto. – So che ti aspettavi di vincere, albicocchina mia, – disse – ma cucinare per i giudici di *Monster Chef* non è facile, lo sai. Figuriamoci farlo in tanti!

– Ecco, appunto – sbottò Patty – è colpa dei miei compagni! Hanno sbagliato tutto! Non mi ascoltavano nemmeno! Se avessero fatto quello che avevo raccomandato, sarebbe andato tutto a gonfie vele!

– Tesoro – disse la mamma – se non ti hanno ascoltata forse avresti dovuto spiegare meglio quello che...

– Sono stata chiarissima – la interruppe Patty. – Solo che loro... loro... – e gli occhi le si riempirono di lacrime.

– Via, nespolina mia! – la abbracciò il babbo. – Vedrai che domani le cose andranno meglio. Io ho fiducia in te.

Quelle parole scaldarono il cuore di Patty come un plumcake. Ricambiò l'abbraccio del babbo, poi si soffiò il naso e addentò una foglia di radicchio.

CRUNCH CRUNCH CRUNCH, fece il radicchio nella sua bocca. CRIC CRIC CRIC, fece qualcos'altro, da qualche parte nei suoi pensieri; ma era un rumorino così lontano che Patty fece finta di non sentirlo.

L'indomani, Patty decise di andare sul sicuro e di scegliere come aiuto cuochi Lorenzo Lodato, Bianca Battaglia e Ronnie Rondella.

Lorenzo era in assoluto il più bravo a fare tutto, che si trattasse di scrivere un tema o di accendere un fuoco nel bosco. Bianca, nel tentativo di superare Lorenzo, era sempre velocissima, e questo poteva essere utile.

Ronnie... beh, lui era convinto di essere un robot. "E i robot non sbagliano mai!" pensò Patty.

Fu Janfe Cotequiño a presentare la seconda sfida: – I capisquadra troveranno una busta nella tasca del loro grembiule. Ogni busta contiene il titolo di una fiaba. Le squadre dovranno preparare un dolce *ispirato alla loro fiaba.* Sarò io a valutare il risultato. Pronti? VIA!

Con l'occhio delle telecamere puntato addosso, i capisquadra estrassero una busta dal grembiule. Quella di Patty era rossa; con le mani un po' tremanti, tirò fuori il cartoncino e lesse, ad alta voce:

La Bella Addormentata nel Bosco

La caposquadra si illuminò.

– Ho un'idea. Seguitemi! – e corse nella dispensa. Qui riempì le braccia di Lorenzo, Bianca e Ronnie con farina, burro, zucchero, cacao e bacche di vaniglia; poi afferrò cioccolato fondente, uova e un vaso pieno di amarene sciroppate. Infine impartì gli ordini, e tutti e quattro si misero a cucinare di buona lena.

– Niente può andare storto, stavolta – si disse Patty.

Poco dopo, mentre mescolava tuorli e zucchero, qualcuno la chiamò.

Era Bianca.

– Il cioccolato ci sta mettendo un sacco di tempo a sciogliersi – disse.

– Davvero?

– Sì. Anche se ho alzato il fuoco al massimo…

– AL MASSIMO? – esclamò Patty, e si precipitò al fornello, sul quale galleggiava, sballottata qua e là come una barca nella tempesta, la ciotolina del cioccolato.

Patty abbassò subito il fuoco. – Per tutti i pinoli, Bianca! Il cioccolato deve sciogliersi a bagnomaria! È normale che ci metta un po' di tempo...

– Ma Lorenzo sta già finendo di preparare gli ingredienti per la crema chantilly... – fece Bianca, lanciando un'occhiata preoccupata poco più in là, dove Lodato stava pesando lo zucchero al milligrammo.

– E allora?

– Beh... – Bianca le bisbigliò all'orecchio. – Io voglio finire prima!

– Ma non è questo l'importante! In cucina bisogna rispettare i tempi anche per l'impast... – ma s'interruppe.

– Ronnie! – gridò, correndo verso di lui.
– Basta, basta! Smetti di montare gli albumi!
Rischiano di tornare liquidi!

Ronnie spense la frusta elettrica, che
sembrava esausta, e Patty guardò gli
albumi. – *Pfiiiuuu*, appena in tempo –

disse. – Qualche secondo in più e avrebbero cominciato a disfarsi... Accidenti, Ronnie! Perché non ti sei fermato?

– Non mi hai programmato per smettere! BZZZT! – rispose lui. – Mi hai solo dato l'avvio. Per darmi lo stop avresti dovuto schiacciare questo bottone qui – e indicò sulla spalla sinistra un cerchiolino rosso con la scritta "STOP".

"Santa parmigiana" pensò Patty "devo stare più attenta".

Poco dopo, infornò la torta e programmò Ronnie perché la avvertisse cinquanta minuti dopo. Intanto, lei e Lorenzo prepararono la crema chantilly.

Esattamente cinquanta minuti dopo, "DRRRIIIIIN, DRRRIIIIIIIIIN!" gridò Ronnie a squarciagola, e Patty corse a schiacciare il bottone rosso con la scritta "STOP" sulla sua spalla sinistra. Una volta spento il forno ed estratta la torta, Patty dovette di nuovo discutere con Bianca, che non capiva perché si dovesse aspettare che la base si raffreddasse (per fare più in fretta, si mise perfino a soffiare sulla tortiera).

– Ronnie, ci servono dei riccioli di cioccolato. Puoi farli con il pelaverdure?

– Affermativo!

– Lorenzo, potresti tagliare la torta con precisione in tre parti per il lungo?

– Quanti centimetri per ogni strato?

Patty rimase un po' perplessa. – Beh, non lo so, non prendo mai le misure col righello…

– Se vuoi che tagli la torta *con precisione* – disse Lorenzo – devi darmi indicazioni precise…

– Ma… – obiettò Patty. Alla fine scrollò la testa, corse a prendere il righello che teneva

nell'astuccio e lo porse a Lorenzo. – Muoviti, però: cominciamo a essere in ritardo.

– L'avevo detto, io, che dovevamo fare in fretta! – borbottò Bianca.

Su ogni disco di torta, Patty spalmò la crema chantilly e chiese a Lorenzo di spargere le amarene. Ma stavolta a Lorenzo serviva addirittura un goniometro.

– Non vorrai che in una fetta ci siano più amarene che in un'altra!

– Ma non abbiamo tempo per...

– Lo faccio io, lo faccio io! – s'intromise Bianca, e si avventò sul vaso di amarene sciroppate. Ma nel farlo scivolò su qualche goccia di crema chantilly...

Patty chiuse gli occhi.

Il rumore di vetri infranti fu terribile.

Quando riaprì gli occhi, Patty vide tutte le telecamere puntate su di loro.

E poi amarene, amarene e sciroppo ovunque.

Per fortuna, la torta era rimasta indenne.

"Non tutto è perduto" pensò Patty, e si riattivò: in un lampo, recuperò le amarene e finì da sola di farcire il dessert.

– Ecco fatto – sospirò, asciugandosi la fronte col dorso della mano. – Ora devo solo decorarla con i riccioli di cioccolato che… – ma si fermò di colpo: aveva di nuovo

dimenticato di spegnere Ronnie Rondella,
che ormai era sotto una montagna di
extrafondente.

– FERMO! BASTA! – gridò Patty.

Fece appena in tempo a riemergere dal
cioccolato, a cospargere la torta di riccioli
scuri e decorarla con la crema e le amarene
rimaste, che suonò il gong.

Janfe Cotequiño era già davanti al dolce

della Seconda A: – Dimmi un po', ragazzino, che fiaba è toccata alla tua squadra?

– *Cappuccetto Rosso* – rispose il bambino col ciuffo sugli occhi.

– E quale dolce vi ha ispirato?

– La Torta della Nonna.

– Va bene – disse arcigno – vediamo come vi è venuta.

Sguainò la forchetta e la immerse nel dolce; poi la portò alla bocca e masticò lentamente. *Mooolto* lentamente.

Improvvisamente, la sua faccia sembrò rattrappirsi come un foglio accartocciato.

– La vostra torta FA SCHIFO!

"Schifo" ripeté Patty dentro di sé. A casa sua, quella parola era proibita. "Nessun piatto fa schifo" era solito ripetere nonno

Pasquale. "Il cibo è prezioso, *tutto* il cibo. I cannelloni possono essere un po' asciutti, il riso troppo cotto, la crème brûlée troppo brûlée… ma nessuna pietanza può fare schifo. Non dirlo mai, Patty. Sarebbe un insulto per chi cucina e per ciò che è stato cucinato".

– E poi questa non è la vera Torta della

Nonna – continuò il giudice a bocca ancora piena.

– C-come? – balbettò il bambino.

– Sei sordo, ragazzino? Ho detto che questa *non è* la vera Torta della Nonna! Mia nonna, infatti, la ricopriva con uno strato di pastafrolla. Voi l'avete semplicemente cosparsa di pinoli… ma i pinoli mia nonna li metteva *dopo*, sullo strato di pastafrolla e spolverava il tutto con lo zucchero a velo!

– M-ma… – provò a dire il bambino – … q-questa è la versione di *mia* nonna…

– SILENZIO! – tuonò lo chef. – Vuoi farmi credere che tua nonna cucina meglio della mia? *Tzé*! Non siete che una squadra di lazzaroni! Incapaci! Bambocci!

Allora, nella testa di Patty accadde qualcosa di strano: il CRIC CRIC CRIC tornò a farsi sentire. Cos'era mai quel rumorino?

Janfe Cotequiño si avvicinò alla torta della Seconda B.

– A noi è capitata *La Bella Addormentata* – disse Patty. – Ho pensato… ehm… *abbiamo* pensato di fare una Torta Foresta Nera.

Cotequiño non disse nulla, ma affondò il cucchiaio nel dolce e se ne ficcò in bocca un grosso pezzo.

– Non male – disse lo chef. Ma aggiunse, con una smorfia di disgusto: – Certo, avete fatto un bel disastro in cucina… che razza di impiastri!

Il viso di Patty, inquadrato in primo piano dalle telecamere, era tutto sporco di cioccolato sciolto, Ronnie era ancora più impiastricciato di lei, e Bianca e Lorenzo erano ricoperti dalla testa ai piedi di sciroppo violaceo. Nella cucina sembrava che fosse esploso un uovo di Pasqua ripieno di amarene.

– Siete davvero ridicoli – continuò Janfe Cotequiño. – Specialmente lui, con tutti quei finti pulsanti sul camiciotto... *Tzé*! Fareste meglio a non mettere mai più piede in una cucina!

Quella sera, quando la mamma rientrò a casa dalla redazione del giornale che dirigeva, "L'eco della Pernacchia", trovò Patty sprofondata nel divano. – Allora, com'è andata?

– Abbiamo vinto – disse Patty. Ma lo disse con il tono che di solito usava quando nella dispensa mancava qualche ingrediente.

– Davvero? Ma è fantastico!

– La Seconda A ha ottenuto un punto. Noi tre.

– Quindi ora siete pari! Sei felice?

Patty ci pensò un po', ma non seppe cosa rispondere.

– Non lo so – mormorò. E, cosa davvero strana, una piccola lacrima le solleticò un occhio, prima di rotolare giù, verso la maglietta con le medaglie.

Mamma Artemisia la prese fra le braccia, e Patty si lasciò cullare come quando era piccola; poi le raccontò tutto.

Alla fine, la mamma disse: – Coordinare il lavoro degli altri è molto difficile, Patty. Dire loro cosa fare in modo che ti ascoltino, correggerli quando sbagliano senza offenderli, incoraggiarli a fare meglio…

Patty guardò la mamma, stupita. – È proprio così! Ma tu come fai a saperlo?

Artemisia sorrise. – Tesoro, io lo faccio ogni giorno! Dirigere la redazione di un giornale *è questo*!

– Veramente?

– Certo!

Patty rifletté un attimo. Non aveva mai pensato che il lavoro della mamma potesse somigliare a quello di uno chef!

– E tu... come fai? – le chiese. – Voglio dire... quando qualcosa va storto... quando gli altri fanno qualche pasticcio?

– Beh – rispose Artemisia – cerco di ricordarmi che ognuna delle persone che lavorano con me ha un lato positivo. E che è giusto riconoscere il suo impegno, anche quando sbaglia.

Patty ripensò a tutti gli errori dei suoi compagni, e alle loro facce quando gli chef avevano detto quelle brutte cose su di loro. Improvvisamente, riecco il CRIC CRIC CRIC dentro la sua testa. Adesso cominciava a capire cosa fosse.

Poi le venne in mente l'ultima prova, la più difficile.

– Mamma – disse Patty – però se non vinciamo... come farò a diventare una grande chef?

La mamma la guardò dritta negli occhi.

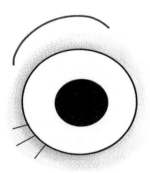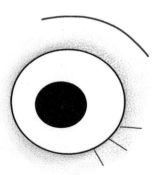

– Credi davvero che io e il tuo papà ti vogliamo bene solo perché sei brava a cucinare?

Patty guardò la mamma.

– No – disse infine.

– E credi davvero che, se non vincerete la gara, i tuoi piatti saranno meno gustosi?

Patty scrollò la testa.

Artemisia sorrise di nuovo e le accarezzò la testa. – Allora, tesoro, sei pronta per l'ultima sfida.

L'ultima, impossibile sfida

Il giorno successivo, nella mensa gremita di genitori, bambini e telecamere, regnava un silenzio assoluto.

Zita Arcistrudel era in piedi, davanti al pubblico, nel suo lungo vestito nero.

– Siamo giunti all'ultima sfida di *Monster Chef*. Due sono le squadre che parteciperanno, e al momento sono in perfetta parità.

Il pubblico non fiatò.

– Per la terza prova – proseguì la Arcistrudel – ogni squadra dovrà inventare un primo, un secondo e un dolce, che io giudicherò. Vincerà la squadra che sarà in grado di *stupirmi*.

Patty deglutì.

– Ma ci sarà una difficoltà in più – precisò la chef. – Le due squadre gareggeranno al completo: ciò significa che l'*intera classe* dovrà partecipare alla gara.

"Santa parmigiana!" pensò Patty.

– Che la sfida abbia inizio!

La caposquadra si voltò verso la Seconda B. Le espressioni che vide non erano delle più motivate.

– Coraggio – provò a dire – mettiamoci al lavoro.

– No – fece Bianca, convinta. – A cucinare

di nuovo per quegli antipatici non ci vengo.

– Ma possiamo vincere! – ribatté Patty. – Se superiamo questa sfida, il Sedano d'Oro è nostro!

– Che importa? – borbottò Ronnie, alzando le spalle. – I giudici ci dicono sempre cose bruttissime. Mi fanno andare i circuiti in tilt!

– Giusto – gli fece eco Vera – neanch'io lo voglio fare, nonnonnò!

– Io non ci penso nemmeno – disse Tamara. E poi aggiunse: – Del resto, Patty, l'hai detto anche tu che io, in cucina, non servo a niente.

Patty si morse un labbro. Poi fece qualcosa che non avrebbe mai pensato di fare.

– Mi devo scusare con voi, ragazzi – disse. – Mi sono arrabbiata ogni volta che avete sbagliato. Ho preso questa gara troppo sul serio, e ho fatto star male voi… e me.

Fece una pausa, poi continuò: – Mi dispiace, Tamara. È solo che pensavo di sapere cosa fosse giusto e cosa no. Ma mi sbagliavo, perché ognuno di voi è prezioso. Proprio così com'è.

– Davvero? – chiese Mino Minimo.

– Sì, davvero – rispose Patty, che stavolta lo sentì.

I bambini della Seconda B non dissero nulla.

Poi, Akiko esclamò: – Beh, allora perché non ci proviamo? Io ho voglia di cucinare!

– Anch'io – disse Bianca.

– Anch'io! – disse Furio.

"Anch'io" pensò Patty. E, per la prima volta da quando era iniziato il concorso, era davvero così.

Nella dispensa, Patty sembrava un'alpinista provetta: si arrampicava da uno scaffale all'altro, sceglieva gli ingredienti e li passava ai suoi compagni, prima di saltare altrove.

– Ecco qui – disse, atterrando accanto a Gianni Ginocchio. – Ora che abbiamo tutti gli ingredienti, ognuno di voi avrà un compito *personalissimo* da svolgere. Cecilia, tu comincerai lavando accuratamente la verdura. Se te ne occupi tu, posso stare tranquilla.

Cecilia fece un sorrisone grande grande che scoprì i suoi denti bianchissimi.

– Nino – continuò Patty – tu triterai le cipolle. Ci sarà un po' da piangere... ma in questo sei uno specialista.

– Agli ordini!

– Vera, tu...

– Io voglio usare il mattarello, il mattarello, il mattarello!

– Ok. Stenderai la pasta per le lasagne. So che lo farai bene.

E proseguì finché non ebbe dato istruzioni a tutti.

Poi si mise a tagliare la verdura.

Era così concentrata che non si accorse nemmeno della lunga ombra che le si era avvicinata.

– Che cosa stai facendo? – disse Zita Arcistrudel, alle sue spalle.

– Sto tagliando la verdura per il contorno.

– Mmm… vedo. Sei veloce e precisa…

– Grazie – rispose educatamente Patty.

– Mi chiedevo… – continuò la Arcistrudel – non dovresti controllare quello che sta facendo la tua compagna, là in fondo?

Non mi sembra stia aiutando granché la squadra…

Patty guardò il punto che la chef stava indicando e vide Tamara che, invece di darsi da fare accanto ai fornelli, stava facendo una delle sue incredibili spaccate. La caposquadra sorrise e riprese a lavorare di coltello. – Non si preoccupi, chef. La mia compagna ci sta aiutando, eccome!

La Arcistrudel fece una smorfia: – Sarà.
Non ti pare, invece, che il bambino là in
fondo ci stia mettendo un po' troppo, con
quel melograno?

Patty guardò di nuovo e vide Lorenzo
che, con l'aiuto di una pinzetta da chirurgo,
stava estraendo uno alla volta i semi rossi
dal melograno.

– Assolutamente no, chef – rispose
tranquilla, tornando alle verdure. – Lorenzo
sta lavorando benone.

– Mmm, fossi in te non ne sarei così sicura. E mi preoccuperei molto anche di quello che sta combinando il tuo compagno con gli occhiali, qui accanto.

– Intende Furio Furetti? Quello che sta usando lo scotch?

– Esatto. Non mi sembra che il nastro adesivo sia molto utile, in cucina...

– Lo è, chef, lo è. Basta un po' di fantasia.

Zita Arcistrudel s'irrigidì. Non le era mai capitato di ricevere risposte così tranquille da un concorrente. Quella bambina non si lasciava distrarre, né impaurire. E, soprattutto, sembrava avere completa fiducia nei suoi compagni di squadra.

Strano.

Molto strano.

Quando il gong risuonò nella mensa,

Zita Arcistrudel si alzò e camminò al centro della scena.

– Siamo giunti alla fine della prova. Entri dunque il caposquadra della Seconda A!

Il bambino col ciuffo raggiunse la Arcistrudel.

– A-abbiamo p-preparato delle penne agli s-spinaci con radicchio, carciofi e c-carote – balbettò.

Una bambina della Seconda A spinse sulla scena un carrellino di metallo che la squadra aveva decorato con tanti nastri colorati e su cui troneggiava la pasta, anche quella coloratissima.

Zita Arcistrudel infilò una mano in tasca e ne estrasse una lunga forchetta d'oro con i denti così appuntiti e affilati che sembravano quelli di un vampiro.

La chef infilzò le penne con la preziosa

forchetta. – È una ricetta bislacca. E poi manca il pepe.

– Ma… ma… – balbettò il bambino col ciuffo – è stata lei a consigliarmi di non metterlo!

La Arcistrudel fece un sorrisetto velenoso. – Ti sbagli. Io ti ho solo chiesto se fossi *proprio sicuro* di voler aggiungere anche il pepe. Sei stato tu a credere di star sbagliando. Piuttosto, dimmi cos'avete preparato per secondo!

Il caposquadra mormorò: – Rotolo di broccoli e formaggio con contorno di patate fritte.

Un bambino della Seconda A portò un altro carrellino, stavolta decorato con fiocchi e bucce di patata.

– Cos'è questa pagliacciata? – disse Zita Arcistrudel, sprezzante. – Sembra più una

94

pattumiera ambulante che un carrellino!

Poi staccò un pezzo del rotolo e masticò il boccone. – È troppo crudo – disse, gelida.

– Ma lei mi aveva detto…

– … che forse la temperatura del forno era troppo alta – concluse la chef. – Sì, me lo ricordo, piccolo credulone.

– Cosa gli ha detto? – mormorò qualcuno tra il pubblico.

– Gli ha detto che è un credulone – rispose qualcun altro.

– Passiamo al dolce – ordinò la giudice.

– Abbiamo p-preparato un budino alla nocciola con b-biscottini al pistacchio – disse il caposquadra della Seconda A, e lo disse così piano che sembrava Mino Minimo.

Il terzo carrello entrò in scena: era ricoperto di fiocchi verdi.

Ma quando la Arcistrudel vide il dolce della Seconda A, lanciò un urlo spaventoso.

– AAAAAAAHHH! Come osate???

Una delle telecamere inquadrò il piatto, sul quale i bambini avevano sistemato il budino come fosse un topolino: due biscotti erano le orecchie e due pistacchi gli occhi, mentre la granella di nocciola era stata disposta come se fosse la coda. Patty pensò che era davvero carino.

Ma la chef strillò: – Io ODIO i topi!!! Non

assaggerò il vostro stupido dessert! Portatelo via, VIIIAAA!

Umiliata, la Seconda A ritirò il dolce.

– Entri la caposquadra della Seconda B! – urlò Zita Arcistrudel.

Patty avanzò fino alla chef, che la guardò minacciosa.

– Cominciamo con le *lasagne all'Akiko*, di mia invenzione – fece Patty.

La Arcistrudel aggrottò le sopracciglia.

– Lasagne all'Akiko?

– Sì, chef. Mi ha ispirato una mia compagna di classe che… ehm… ha molta fantasia.

Poi accadde qualcosa di inaspettato. Nell'aria cominciarono a fluttuare le note de *La danza dei fiori* e, invece di un carrello cigolante, entrò in scena Tamara Tombé, piroettando sulle punte.

Per un attimo, la giudice sembrò impietrita. Ma si riprese subito e allungò il collo verso la lasagna. – Che cosa c'è nel ripieno?

– Zucchine, carciofi e petali di papavero.

– Petali di papavero? – fece la Arcistrudel.

– Sì. Apparentemente fiori e verdure non c'entrano nulla, in cucina... Ma, se si trovano le giuste combinazioni, si può scoprire che insieme funzionano. Un po' come le spiegazioni della mia amica Akiko.

– E dove avete trovato i papaveri?

– Al parchetto, vicino alla fontana – spiegò Patty. – Per fortuna c'era Bianca Battaglia, una mia compagna velocissima. In un lampo li ha trovati e me ne ha portati un bel mazzetto!

La chef non disse nulla. Assaggiò la lasagna e sgranò gli occhi.

In platea, la mamma di Patty, che era venuta ad assistere alla finale, incrociò anche le dita dei piedi.

– Mmm – mugugnò la terribile Arcistrudel. – Portate il secondo.

Stavolta, Tamara arrivò davanti alle telecamere danzando sulle note de *Il fantasma dell'opera.*

– Cosa c'entra *Il fantasma dell'opera*? – chiese la giudice.

– Guardi il piatto, chef.

– Ma io vedo solo il contorno… non vedo il secondo!

– Appunto – spiegò Patty. – Il nostro secondo è composto da *polpettine fantasma con contorno di insalata bizzarra.* Mino Minimo ha preparato le polpette (invisibili) e Lorenzo Lodato ha aggiunto all'insalata i semi di melograno.

– Interessante… – disse la chef. – Ma se non vedo le polpettine non posso mangiarle!

– Sì che può farlo – rispose Patty. E porse alla Arcistrudel una piccola lente; sul manico, fissata con un pezzo di scotch, un'etichetta diceva: "Lente da cucina". – Sa – aggiunse – il nostro compagno Furio Furetti è un risolvitutto. Questa "lente da cucina" è una sua invenzione!

E così, Zita Arcistrudel usò la lente e assaggiò le polpettine fantasma. E poi l'insalata bizzarra. Alla fine della degustazione, sembrava proprio che non sapesse cosa dire.

Così si passò al dolce.

Tutte le luci si abbassarono e venne illuminato un solo punto della scena, dove comparvero Tamara e... Ronnie.

I due si muovevano leggiadri (soprattutto Tamara, perché Ronnie era un po' rigidino) sulle note di *Romeo e Giulietta*. Sgambettando, si passavano l'un l'altra un grande piatto coperto da una cupola

d'acciaio, che porsero con un inchino a Zita Arcistrudel.

– Per il dolce abbiamo pensato a un'unione classica: cioccolato e pere – annunciò Patty. – Chef, voglia assaggiare il *panettoncino di cioccolato e pere con ingrediente a sorpresa* di Gianni Ginocchio.

Gianni, poco oltre, con un enorme

cappello da chef calato sulle orecchie a sventola, per una volta non stava facendo il bullo: finalmente i suoi panettoncini erano riconosciuti come forma d'arte.

La Arcistrudel infilò la forchetta dorata nel panettoncino. Nella sua bocca sentì sciogliersi cioccolato e pere, più un sapore che... cos'era? Mai, mai la chef aveva assaggiato un dessert tanto goloso!

– È *delizioso*! – sillabò. E, per la prima volta nella storia di *Monster Chef*, prese un altro boccone.

– Ooooohhh! – fece il pubblico.

A quel punto, Grattugia e Cotequiño afferrarono le loro forchette e si precipitarono sulla scena. – Anche noi, anche noi!

In un baleno, i tre giudici si spazzolarono tutto il panettoncino. Ma nessuno di loro seppe riconoscere l'ingrediente segreto.

L'ingrediente segreto

Quando anche l'ultima briciola di panettoncino fu divorata, la terribile chef si alzò con fare quasi sognante. – Non so proprio come abbiate fatto, ma siete riusciti a stupirmi!

Patty sorrise.

– E quindi... – continuò la giudice – la Seconda B vince questa edizione di *Monster Chef*!

La scuola intera esplose in un boato di

gioia. Tutti erano felicissimi: chi aveva vinto (perché aveva vinto) e chi aveva perso (perché finalmente quel concorso da incubo era finito).

Patty venne sommersa dai suoi compagni di classe, che volevano abbracciarla e che si abbracciavano fra loro. Le telecamere si allontanarono per riprendere tutto quel putiferio (Gianni ne approfittò per far scoppiare qualche petardo), mentre coriandoli e stelle filanti ricoprivano i vincitori.

– Consegno il Sedano d'Oro alla Seconda B della scuola Rodari di Picco Pernacchia – scandì Zita Arcistrudel, passando il trofeo a Patty.

FLASH, FLASH!, fecero le macchine fotografiche.

– Ma non è finita qui. Ora sveleremo il premio misterioso che ha vinto la caposquadra.

Di nuovo, in mensa calò un silenzio carico d'attesa.

La chef si rivolse a Patty: – Sei stata molto brava, Patty Padella. Sei riuscita a coordinare il lavoro di tutti i tuoi compagni, che sono dei veri impiastri. Anzi... dei mostri. Non so come tu abbia fatto, ma sei riuscita a farli cucinare bene, anche se è chiaro che nessuno di loro sarebbe mai in grado di fare nulla di buono!

Patty si girò verso i compagni, che avevano smesso di sorridere.

CRIC CRIC CRIC...

– E perciò – continuò Zita Arcistrudel – io ti consegno... la mia forchetta d'oro personale! Ti aiuterà a diventare una grande chef. Proprio come noi tre.

Con le dita sottili e pallide, la giudice porse a Patty la forchetta d'oro, i cui denti appuntiti scintillarono in modo sinistro.

Patty guardò la forchetta. Poi guardò i suoi compagni. Poi di nuovo la forchetta.

CRIC CRIC CRIC.

Infine disse: – No, grazie.

– C-come sarebbe a dire "no"??? – fece Zita.

– No, grazie – ripeté Patty. – Non ho nessuna voglia di diventare come lei, chef Arcistrudel. Né come Ghigno Grattugia o Janfe Cotequiño.

– Ma noi siamo i migliori chef del mondo!

– Forse – disse Patty – ma siete anche le persone più maleducate e antipatiche che abbia mai conosciuto. Avete trattato male tutti quanti, anche i bambini dell'altra squadra. Siete voi, i mostri!

– Ma... come osi? Piccola impertinente! Non sarai *mai* una grande chef!

Patty alzò le spalle. – Vorrà dire che sarò una grande CUOCA.

La faccia di Zita Arcistrudel divenne una maschera di cattiveria: – Allora ridammi subito il trofeo! – ringhiò. E si avvicinò minacciosa.

Ma improvvisamente cambiò espressione:

da sinistro, il suo volto divenne terrorizzato. Sul Sedano d'Oro era saltato con agilità un topolino grigio.

– Nebbia! – gridò Nino Niagara. E una lacrima gli scese per l'emozione.

Zita Arcistrudel, orripilata, lanciò un urlo e saltò in braccio a Janfe Cotequiño, che perse l'equilibrio e cadde addosso a Ghigno Grattugia, fra le risate del pubblico.

In quel momento, Patty si sentì sollevare da terra: i suoi compagni la stavano portando in trionfo!

– PAT-TY! PAT-TY! PAT-TY! – gridavano in coro. E in tutto quel caos, mentre oscillava trasportata dai suoi amici, Patty vide la sua mamma e il suo papà, poco lontano, che la guardavano fieri.

I giudici impacchettarono in un baleno tutte le loro cose e uscirono dal portone della scuola a passo di carica, giurando al preside che mai più avrebbero rimesso piede alla Rodari.

Mariotti rispose: – E chi se ne importa? Tanto io mangio solo carne cruda!

Ma quando i tre si girarono, sdegnati, e salirono sulla loro limousine, il preside notò che ognuno di loro aveva appeso sulla schiena un cartello con la scritta:

" A ME ~~MI~~ PIACE MANGIARE LA TER^RA "

Poco lontano, Gianni e Furio stavano osservando la scena.

– Ma davvero quei tre mangiano la terra? – chiese Furio.

– Beh, cosa credi che fosse l'ingrediente segreto dei panettoncini? – rispose Gianni.

Furio spalancò gli occhi.

– Non sarebbe stato un vero panettoncino, senza un po' di terra! – ridacchiò l'altro.

Furio era ammutolito. Ma, in fondo, per una volta, era proprio d'accordo con Gianni.

FINE

Indice

Una notizia inaspettata   5

Un talento eccezionale   17

Lotta all'ultimo voto   25

La perfida prima sfida   41

L'atroce seconda sfida   55

L'ultima, impossibile sfida   83

L'ingrediente segreto   107

FURIO FURETTI
E LA MACCHINA DELLA PAZIENZA

Plic, plic, plic. Il silenzio della notte è interrotto da un odioso gocciolare di rubinetti. Furio Furetti vorrebbe alzarsi a stringere il rubinetto, ma si sta così bene sotto le coperte! Il mattino dopo, però, ORRORE! Durante la notte la città si è allagata! Per colpa sua! Perché non ha chiuso il rubinetto!

BIANCA BATTAGLIA
E IL PRIMO DELLA CLASSE

Bianca Battaglia ha un solo desiderio: essere la prima della classe. Ma da quando è arrivato Lorenzo Lodato, per lei sono iniziati i guai: Lorenzo è il migliore in tutto, e compagni e maestre già lo adorano! Per fortuna Bianca ha un'idea: lo batterà alla corsa campestre e lo farà... a ogni costo!

AKIKO ASSÒ
E LA CENTRALE DEGLI INCUBI

Akiko ha una spiegazione strampalata per tutto. Per esempio, da dove vengono gli incubi? È semplice: dalla vecchia centrale abbandonata di Picco Pernacchia! Suo cugino Fofò, però, non è molto convinto... Ma Akiko è più decisa che mai a provare la sua teoria con un'avventurosa esplorazione notturna!

RONNIE RONDELLA
E LA FIERA DELLA SCIENZA

Da quando ha deciso di fare il robot, Ronnie Rondella è più felice che mai. Peccato che quel pestifero del suo fratellino gli rovini sempre tutto! Così, quando il preside Mariotti annuncia la Fiera della Scienza, Ronnie ha un'idea: costruirà una macchina del tempo! E impedirà al suo fratellino di nascere! Un'idea geniale! O no?

MINO MINIMO
E IL SUPER POTERE PIÙ INUTILE DEL MONDO

La maestra non lo vede quando alza la mano, i compagni non lo vedono quando si gioca a calcetto, la sorella non lo vede quando deve andare in bagno... L'invisibilità è il superpotere più inutile della storia! Non poteva capitargli la superforza? O l'ugola sonica? O la memoria fotonica? Ma un bel giorno...

VERA VOGLIO
CONTRO LA REGINA D'INGHILTERRA

Vera Voglio vuole tutto. Un castello, un panda, un'isola. Da qualche tempo, Vera vuole un cane. Uno Scottish Terrier, nero, occhi vispi e barba a spolverino. Mamma non ne vuole sapere, ma Vera non è tipo da arrendersi al primo no. E non fa niente se per avere un cane dovrà scomodare la Regina...

Le prossime uscite

GIANNI GINOCCHIO
E IL SEGRETO INCONFESSABILE

È primavera, e nella seconda B c'è qualcosa di strano. Gianni Ginocchio, il bullo della classe, che non perde mai occasione di sbriciolare la merenda a qualcuno o dare gomitate, si comporta in modo anomalo. Fa dispetti a tutti, tranne che a Nino Niagara. Perché? I ragazzi vogliono risolvere questo incredibile mistero...

SERAFINA SFINGI
E IL SEGRETO DEL FARAONE

Serafina Sfingi sarà piccola, ma è già una grande esploratrice. Alunna del passato della Scuola Rodari, viaggia in lungo e in largo per continenti inesplorati, scala vette altissime, scopre segrete tribù e risolve i grandi misteri dell'archeologia. La sua avventura più clamorosa? La caccia al faraone con lo sturalavandini in testa!